Historias
doradas

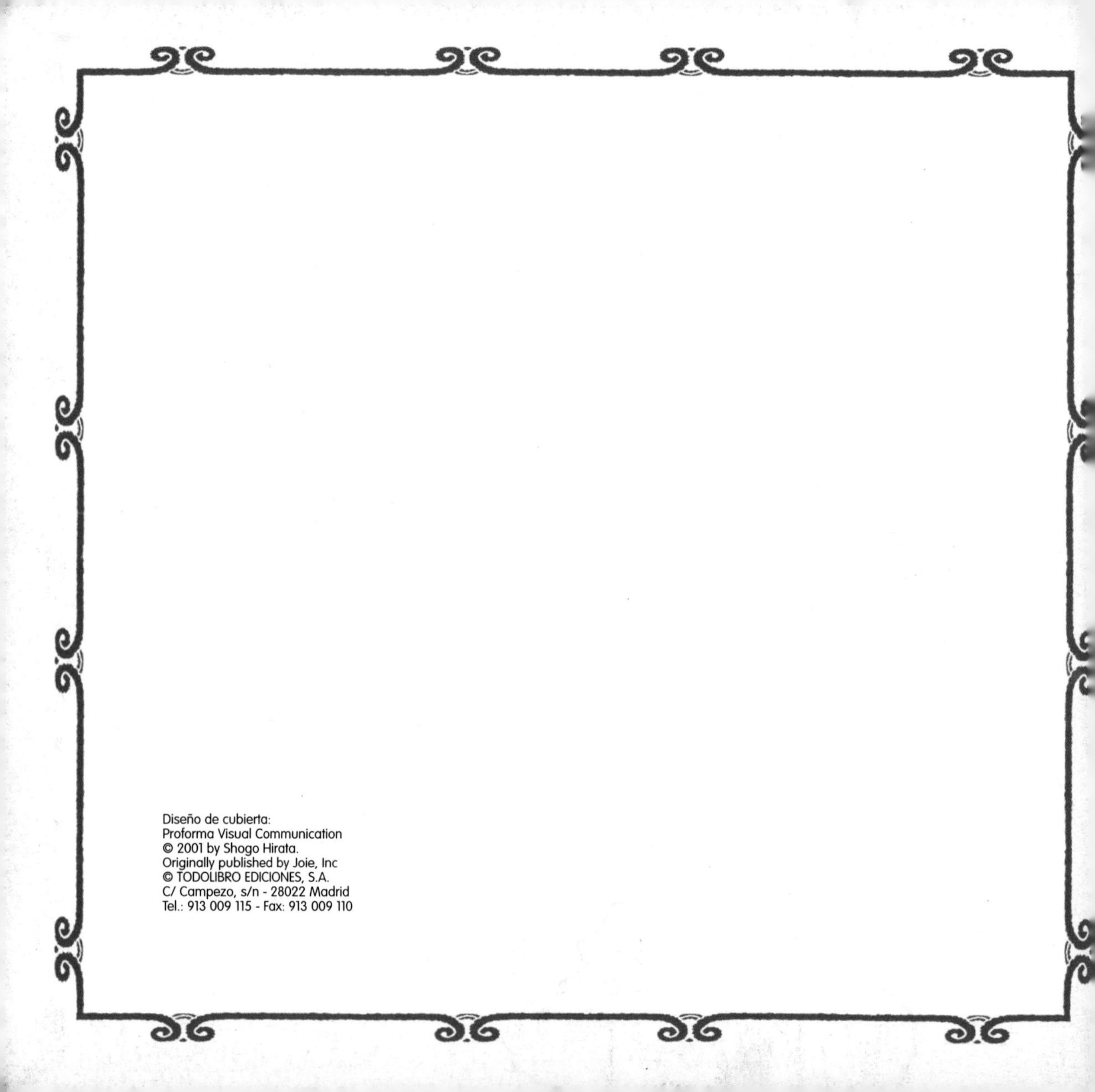

Diseño de cubierta:
Proforma Visual Communication

Originally published by Joie, Inc

C/ Campezo, s/n - 28022 Madrid
Tel.: 913 009 115 - Fax: 913 009 110

Historias con animales

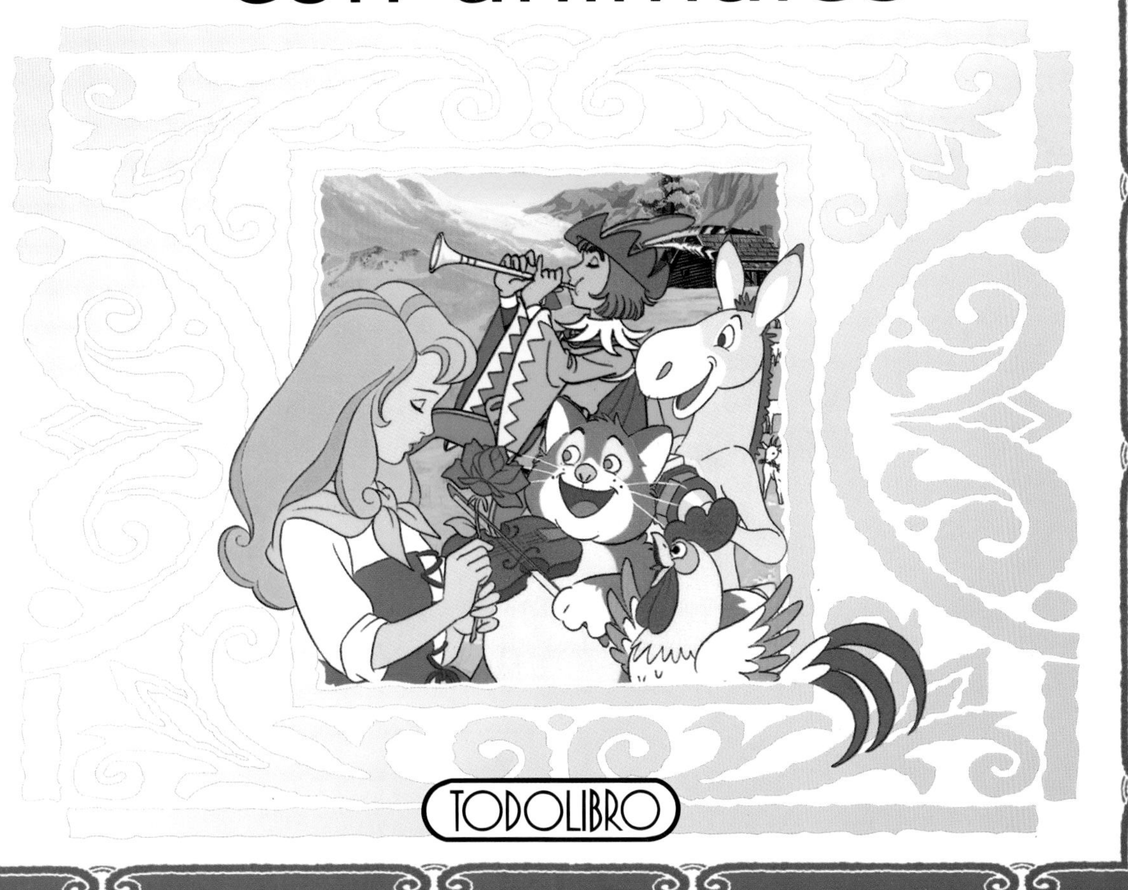

TODOLIBRO

La Bella y la Bestia

La Bella y la Bestia

Mme. Leprince de Beaumont

Érase una vez un rico mercader que tenía seis hijos. Un día recibió una noticia terrible: sus barcos habían naufragado en el mar y se había quedado sin nada excepto una pequeña casa en el campo.

El mercader y sus hijos no tuvieron más remedio que dedicarse a trabajar la tierra. Sus hijos estaban muy mal acostumbrados, y se quejaban sin cesar; todos excepto la hija más pequeña, Bella.

Después de un largo año de dificultades, la situación del mercader mejoró. Resultó que, después de todo, uno de sus barcos había conseguido llegar a puerto. La carta que comunicó la noticia alegró mucho a la familia, pues significaba que todos ellos podían volver a su antigua forma de vida.

—Partiré de inmediato —dijo el mercader—. Y bien, hijos, ¿qué queréis que os traiga?

Sus hijos, uno tras otro, le pidieron que les trajese regalos caros. Pero Bella dijo:

—¿Podrías traerme una rosa? Tu caballo estará demasiado cargado con tantas cosas.

El mercader se fue con el corazón alegre.

Sin embargo, cuando llegó al puerto, el mercader se enteró de que todas sus mercancías habían sido robadas. Cansado y entristecido, tuvo que emprender el camino de regreso a casa con las manos vacías.

Era de noche y el viento soplaba con fuerza cuando llegó a un bosque. Pronto comenzaron a caer copos de nieve y se perdió.

De pronto, delante de él, vio un camino limpio de nieve. Conducía a un gran castillo. El mercader llamó a la puerta, pero nadie contestó. Entró a una gran sala y vio una mesa llena de frutas, verduras y muchos tipos de carne.

Aunque nadie había salido a recibirle, sentía mucha hambre, de modo que comió hasta sentirse satisfecho. El calor del fuego y la deliciosa carne le hicieron sentir sueño. Inclinó la cabeza y pronto se quedó dormido.

A la mañana siguiente, caminó por un jardín lleno de rosas. Recordó la promesa que había hecho a Bella. «Al menos puedo mantener esta promesa», se dijo mientras cogía una de de las flores.

Justo entonces, oyó un rugido ensordecedor, como si se fuese a producir un terremoto.

Una horrible criatura estaba delante de él, mostrando sus colmillos.

—Te he dado de comer y te he hospedado en mis casa. ¡Y ahora tú robas mis preciosas rosas! —exclamó la Bestia.

—Ten piedad de mí, te lo suplico —imploró el mercader de rodillas—. No quería ser desagradecido. Sólo necesitaba una rosa para una de mis hijas.

—Tienes que pagarme con tu vida. Sin embargo, si una de tus hijas está dispuesta a sufrir en tu lugar, puede hacerlo. Volved a mi casa, tú o tu hija, dentro de tres meses —dijo la Bestia.

El mercader, temblando, cogió la rosa con la mano y salió en dirección a su casa.

—¡Ya estoy en casa! —anunció con tristeza.

Todos sus hijos corrieron hacia él preguntando por sus regalos. Él comenzó a contarles la historia de la Bestia.

—¡Yo no voy!

—¡Yo tampoco! —exclamaron sus dos hijas mayores una tras otra—. ¡Debería ir Bella, puesto que fue ella la que pidió la rosa!

—Iré de buena gana —dijo Bella dulcemente a su descorazonado padre—. Yo tengo la culpa de todo.

—No quiero que te sacrifiques por mí —respondió el mercader, pero Bella insistió en ir. La bondadosa niña dijo que su familia necesitaba a su padre.

Llegó el día en que Bella tuvo que partir hacia el castillo acompañada de su padre como guía. Al atardecer llegaron al castillo. Como nadie contestó a su llamada, abrieron la puerta. Para su sorpresa, dentro había una mesa con la cena preparada para dos personas. Se sentaron y, mientras fingían comer, tratando de reconfortarse uno a otro, oyeron unos pasos que causaban un gran estruendo.

Bella casi se desmaya cuando vio a aquella espantosa criatura. Armándose de valor dijo:

—Soy Bella.

—Yo soy la Bestia. ¿Has venido aquí por tu propia voluntad?

—Sí, he venido para cumplir la promesa que te hizo mi padre —contestó la muchacha.

El padre se marchó aquella noche con muchos regalos de la Bestia.

Bella fue conducida a su habitación, se tumbó en una cama muy blanda y cómoda, y pronto se quedó dormida, llorando. Tuvo sueños muy extraños. En uno de ellos, aparecía un guapo príncipe que le pedía que se casase con él.

Cuando despertó a la mañana siguiente, Bella encontró el desayuno esperándola en la mesa. Pensó que la Bestia quería que engordara antes de comérsela. Sin embargo, un poco más tarde, llegó la Bestia y la tranquilizó:

—No tengo intención de hacerte ningún daño. Pídeme todo lo que quieras.

Su habitación estaba llena de libros, instrumentos musicales y un espejo que reflejaba todo aquello que quisiera ver. Bella comenzó a pensar que quizá la Bestia no pretendía hacerle daño.

A medida que pasaban los días, los temores de Bella disminuían, porque la Bestia era muy amable con ella.

Un día, el animal le pregunto:

—¿Quieres casarte conmigo?

Bella se quedó sorprendida por esta proposición y sólo pudo negar con la cabeza. Esa misma noche tuvo otro sueño con el mismo príncipe. Éste le pedía ayuda. La joven no comprendía lo que podía significar aquel sueño.

Pasaron tres meses apaciblemente en el castillo, excepto por las continuas proposiciones de la Bestia. Un día, Bella vio en el espejo que su padre se encontraba enfermo. Suplicó a la Bestia que le dejara ir a verle.

—Vuelve dentro de una semana o moriré de pena —accedió la Bestia con tristeza.

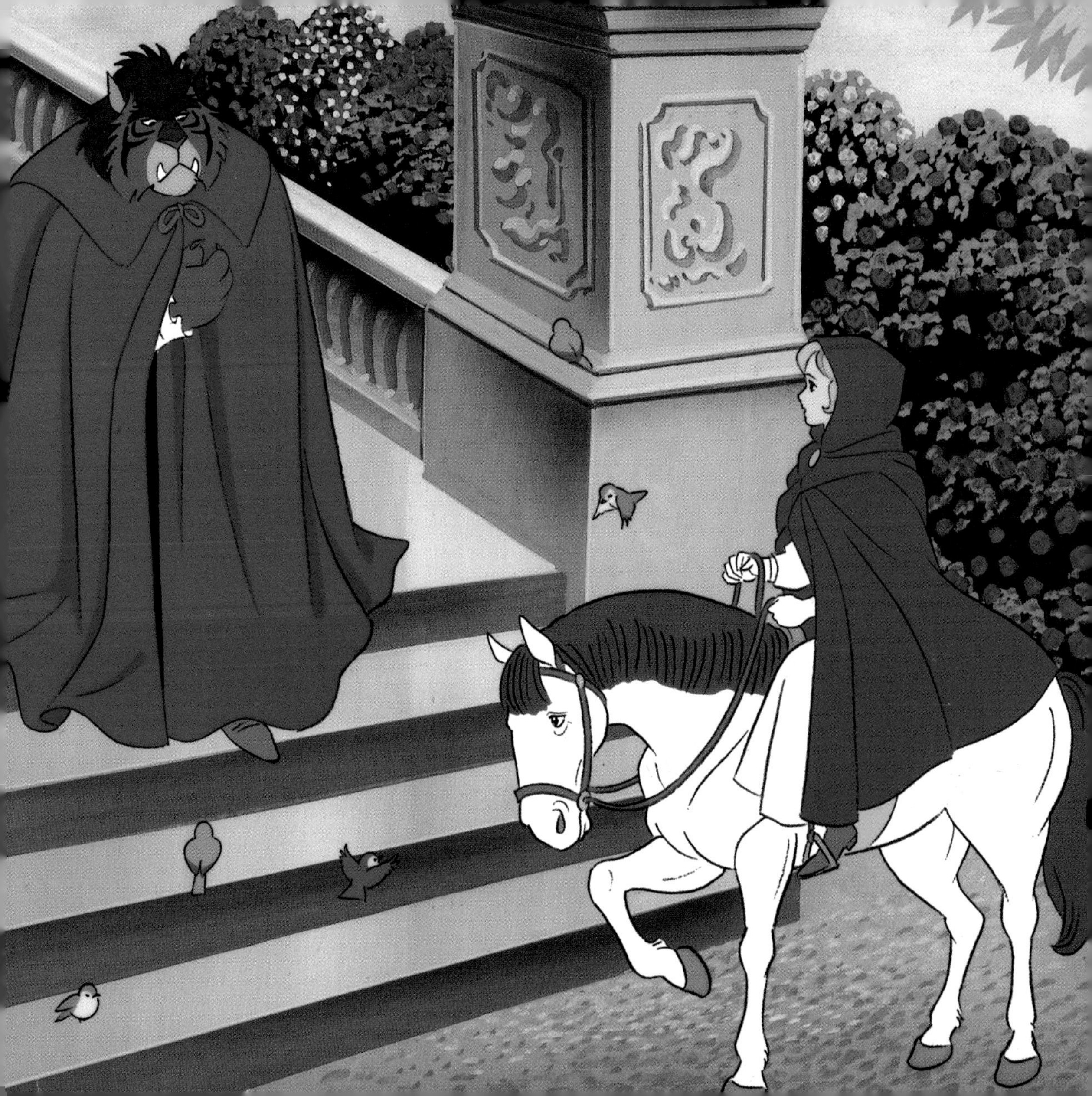

Al día siguiente, un caballo blanco esperaba a Bella para llevarla a su casa.

El caballo la llevó a un preciosa mansión. Al parecer, los regalos de la Bestia habían hecho muy rica a la familia de Bella. Sus hermanos y hermanas le dieron la bienvenida, y su anciano padre se alegró tanto al ver a su hija que pronto se recuperó.

Bella pasó unos días maravillosos con su familia, hasta que una noche soñó con la Bestia. Estaba tumbado sobre la hierba, y se moría de tristeza.

—¡Oh, no! ¡He roto mi promesa! —gritó Bella al darse cuenta de que se había retrasado dos días.

Corrió hacia el caballo blanco y marchó hacia el castillo.

—¡Pobre Bestia! Aunque es feo, tiene buen corazón, y le echo mucho de menos —pensó Bella.

En el jardín del castillo, la Bestia yacía bajo un rosal, sin poder apenas respirar. Bella le abrazó y dijo:

—Lo siento, Bestia. No sabía lo mucho que te quería. Perdóname.

Cuando sus lágrimas cayeron sobre el cuerpo de la Bestia, los ojos del animal se abrieron.

—Por última vez te lo pido: ¿Quieres casarte conmigo? —preguntó la Bestia.

—Sí, me casaré contigo —respondió Bella.

De pronto, una deslumbrante luz rodeó a la Bestia, y se convirtió en un atractivo príncipe, el mismo que Bella había visto en sus sueños.

—Una malvada bruja me convirtió en esa fea bestia. Para romper el hechizo, tenía que conseguir que una joven de buen corazón me amara y quisiera casarse conmigo. Gracias, Bella —relató el guapo príncipe.

Bella y el príncipe se agarraron de la mano y caminaron hacia el castillo, donde el hechizo se rompió y todos los cortesanos regresaron para su boda.

La Bella y la Bestia

La historia de LA BELLA Y LA BESTIA fue escrita a mediados del siglo XVIII por la autora francesa Mme. Leprince de Beaumont. El tema inspiró a Jean Cocteau, director de cine, quien hizo una película en 1945. Desde entonces esta historia ha fascinado a personas de todo el mundo.

El patito feo

El patito feo

Hans Christian Andersen

Un agradable día de verano, cerca de un estanque, una pata empollaba sus huevos esperando a que éstos se abrieran.

De pronto, uno de los huevos comenzó a romperse. Poco a poco, fueron saliendo los patitos. Como el huevo más grande no se abría, mamá pata comenzó a preocuparse.

Un viejo pato cascarrabias se acercó a ella y le dijo:

—Éste debe de ser un huevo de pavo. Más vale que lo dejes.

Finalmente, el huevo más grande se rompió y de él salió un patito más grande que el resto.

—¡Qué feo! No hay duda de que es el hijo de un pavo. Si lo llevas al agua, nunca aprenderá a nadar —dijo el pato cascarrabias.

Como hacía mucho calor, mamá pata decidió llevar a su familia a nadar.

Saltó al agua, y los patitos la siguieron, salpicando a su alrededor. El patito feo también saltó y chapoteó alegremente con su familia.

—¡Oh! —dijo la madre, aliviada—. Éste es mi niño.

Mamá pata llevó a sus hijos a conocer a los demás animales de la granja.

—Mirad, niños, separad las patas así y decid «cua» —les enseñó.

Los pequeños hicieron lo que se les había ordenado, pero los demás patos y pollos se quedaron mirando al patito de aspecto raro y le picotearon el cuello.

—¡Vete, pato feo!

Incluso sus hermanos y hermanas se reían de él diciendo:

—¡No te queremos, feo!

Como todos picoteaban, empujaban y molestaban al pobre patito, mamá pata estaba triste.

Viendo su apenada cara, el pobre patito feo pensó: «Mamá quiere que me vaya.»

Entonces se marchó de allí para buscar un lugar donde la gente no se riera de él.

El patito caminó y caminó. En un pantano se encontró con una rana.

—No quiero que me coma una criatura tan fea —gruñó la rana, y se marchó corriendo.

Un día, cuando el patito se estaba bañando en un estanque, se acercó a él una bandada de gansos gritando:

—¡Qué cosa tan fea! No puedes vivir en nuestro estanque. ¡Fuera de aquí!

Los gansos silvestres picotearon al patito y le hicieron marcharse.

El patito logró escapar de ellos. Poco después oyó un ruido extraño que resonaba en el aire. Era el disparo de un arma que mató a los gansos silvestres.

Un enorme perro de caza llegó corriendo y olfateó al pobre patito, quien se dio media vuelta tratando de esconderse bajo sus alas. ¡Qué alivio sintió cuando el perro se marchó sin tocarle!

«Me ha perdonado la vida porque soy muy feo», pensó el patito, y comenzó a caminar de nuevo, sin saber que los perros de caza están entrenados para coger sólo a los animales muertos.

Cuando llegaron las tormentas del otoño, el patito no podía encontrar nada que comer. Lo único que veía eran hojas secas. Pero no dejó de andar. Caminó y caminó hasta que por fin divisó a lo lejos una cabaña.

Cuando llamó a la puerta salió una viejecita y le saludó amablemente. Le dio sopa caliente y le dijo:

—Puedes quedarte aquí todo el tiempo que quieras.

Pero el patito tuvo que marcharse muy pronto de aquel confortable lugar, porque un gato y una gallina muy antipáticos vivían allí también.

—¿Puedes poner huevos?

—¿Sabes cazar ratones? —le preguntaron.

Se creían muy importantes. El patito pensó que él no servía para nada y decidió marcharse.

El patito dejó la cabaña y siguió caminando.

El invierno había llegado, y los copos de nieve no cesaban de caer. Por la tarde vio una gran bandada de hermosos cisnes que nadaban sobre un lago.

—Nuca he visto nada igual. ¡Ojalá yo fuese tan bello como ellos! —pensó el patito, y se metió al agua.

Estaba tan cansado de caminar todo el día que se quedó dormido en el agua.

A la mañana siguiente, pasó por allí un leñador, y vio al patito atrapado en el hielo del lago.

—¡Pobre animal! No puede salir.

El leñador llevó al patito a su casa y lo calentó junto al fuego. Sus hijos se pusieron muy contentos cuando vieron al patito y se hicieron sus amigos.

Durante un tiempo, vivió muy feliz en el hogar del leñador. Pero un día, mientras la mujer del leñador estaba fuera, llegó un grupo de ratones y se comieron toda la comida que había para la cena. Al ver al patito, se asustaron tanto que alborotaron toda la casa.

Cuando volvió la mujer del leñador y vio todo aquel desorden, pensó que era culpa del patito. Se enfadó mucho con él y lo echó de su casa.

Era terrible para el pobre patito vivir solo y soportar el frío del invierno.

—Ven aquí, patito. Hace frío ahí fuera —le dijo un ratón de campo.

Su madriguera era muy confortable y estaba llena de comida. El patito le dio las gracias y decidió pasar allí el invierno, diciéndose: «La primavera me traerá mejor suerte.»

Pronto llegó la primavera. El patito vio cómo el cálido sol se reflejaba en el agua.

—¡Qué agradable es el sol!

El patito, sintiéndose muy contento, agitó sus alas. Y entonces sucedió algo sorprendente... vio su reflejo en el agua.

—¡Me parezco a aquellas majestuosas aves que nadaban en el lago!

En efecto, el patito feo era en realidad un hermoso cisne.

El patito feo

EL PATITO FEO probablemente cuenta la vida del propio Andersen, quien logró encontrar la felicidad después de pasar muchas penalidades. Los distintos sentimientos que despierta este cuento han emocionado a muchas generaciones de lectores.

Los músicos de Bremen

Los músicos de Bremen

Había una vez un molinero que tenía un asno. Durante muchos años, el asno había transportado cargas muy pesadas todos los días. Cuando se hizo demasiado viejo para trabajar, su amo dejó de alimentarle y le dijo:

—No tenemos comida para un burro inútil. Vete a donde quieras —. Y echó al asno de su casa.

Para no morirse de hambre, el asno abandonó el pueblo.

«Es triste hacerse viejo», pensó el asno mientras caminaba sin rumbo. Entonces se encontró con un perro que estaba tumbado junto a la carretera, y que parecía muy cansado.

—¿Te ocurre algo, amigo? —preguntó el asno.

—Verás —respondió el perro—: Antes, donde yo vivía me llamaban el rey de la caza. Pero ahora estoy demasiado viejo para cazar y mi amo me ha echado al ver mi boca sin dientes. No conozco otra manera de ganarme la vida que no sea cazando, así que me moriré de hambre.

Al pensarlo, levantó la cabeza y comenzó a aullar desconsoladamente.

—Tienes una voz preciosa, amigo mío —dijo el asno—. Vayamos a la ciudad de Bremen y trabajemos allí como músicos.

Al perro le gustó la idea y se fue con el asno.

Al poco tiempo, vieron a un gato sentado y maullando tristemente.

—¿Qué te sucede, gato? —preguntó el asno.

—Antes me llamaban el mejor cazador de ratones del pueblo, pero ahora que soy demasiado viejo para correr tras los ratones, mi dueña me ha echado. Los humanos son muy egoístas.

—Cantas muy bien —dijo el asno—. ¿Por qué no vienes con nosotros a Bremen y nos ganamos la vida como músicos?

El gato accedió y se fue con ellos. Pronto se encontraron con un gallo que cacareaba con todas sus fuerzas :¡kikirikiiií!

—¿Qué te pasa? —preguntó el asno.

—Antes me llamaban el gallo madrugador, pero ahora que soy demasiado viejo para anunciar el día puntualmente, mi dueña ya no me quiere.

—¿Por qué no te unes a nosotros y te ganas la vida con tu bonita voz? —preguntó el asno.

El gallo aceptó y los cuatro animales marcharon juntos.

El cielo estaba radiante al atardecer.

—Es triste hacerse viejo, ¿verdad? —dijo el antiguo rey de la caza.

—Los humanos son egoístas —murmuró el antiguo gallo madrugador.

—¿Es verdad que hay un sitio llamado cielo? —preguntó el antiguo mejor cazador de ratones.

—Ya veremos —dijo el asno.

Y siguieron caminando hacia la montaña que estaba cerca de Bremen.

Se hizo de noche antes de que llegaran a Bremen. Estaban hambrientos y cansados, pero no tenían nada que comer ni casa a donde ir, así que tuvieron que pasar la noche en el bosque.

Justo antes de que caer dormidos, el gallo dio un grito desde lo alto de un árbol:

—¡Levantaos todos! Veo una luz a lo lejos. Tal vez encontremos comida allí.

Los cuatro animales hambrientos caminaron en dirección a la luz y finalmente llegaron a una casa de campo.

Miraron por la ventana. En el interior, había una mesa con un montón de comida y bebida, y sentados a la mesa una banda de ladrones contaba su botín.

—¡Esa comida parece deliciosa! —dijo el gato.

—Tengo una idea —dijo el asno.

Y se pusieron a pensar cómo podían echar a los ladrones fuera de la casa.

El asno apoyó las patas delanteras sobre el alféizar de la ventana, el perro se subió al lomo del asno, el gato trepó por encima del perro, y el gallo voló hasta encaramase al gato. La sombra de todos los animales juntos parecía la de un monstruo.

En ese momento, empezaron a interpretar su música con todas sus fuerzas:

—¡Hiii-hooo! ¡Guau, guau! ¡Miau, miau! ¡Kikirikiií! —gritaron todos al tiempo.

La ventana se abrió y entraron en tromba en la casa.

Los ladrones huyeron aterrorizados, dejando todo su botín en la casa.

—¡Hurra! ¡Hemos ganado! ¡Hemos ganado! ¡Ahora tenemos comida en abundancia y un lugar donde vivir!

Se reunieron alrededor de la mesa y disfrutaron de una suculenta comida.

—¡Has tenido una idea estupenda, asno! —dijo el gallo.

—Todos hemos colaborado —respondió el asno.

Fue una estupenda fiesta. Después de hartarse, se dieron las buenas noches y se dispusieron a dormir, eligiendo cada animal el lugar que le pareció más cómodo.

A media noche, los ladrones planearon la revancha, porque querían recuperar su dinero.

—Los ladrones no deben temer a un monstruo. Ve a echar un vistazo —ordenó el jefe de la banda a uno de sus secuaces.

El hombre volvió temeroso a la casa y la encontró totalmente oscura. Lo único que vio fue algo que brillaba en la chimenea apagada. Pensando que eran ascuas, acercó una cerilla.

Pero en realidad eran los ojos del gato los que brillaban en la chimenea. El gato se asustó tanto que se lanzó a su cara y le arañó.

—¡Socorro! ¡Socorro! —gritó el ladrón.

Mientras intentaba salir por la puerta de atrás, tropezó con la cola del perro, que estaba tumbado allí.

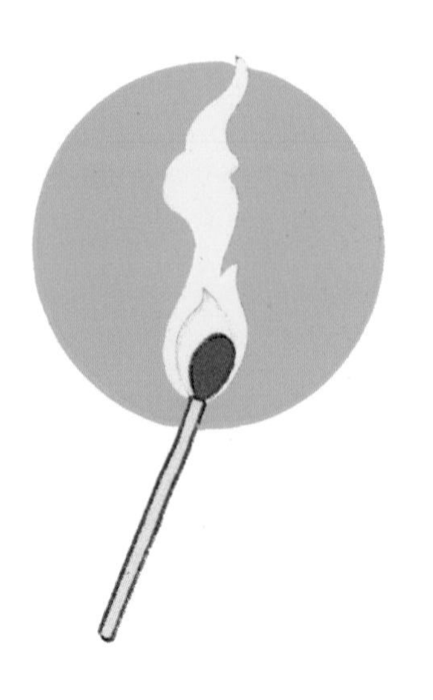

—¡Grrr...! ¡guau! ¡guau! ¡guau! —gruñó el perro enfadado.

Saltó y le mordió una pierna.

El ladrón salió por la puerta de atrás cojeando, cuando de pronto se dio de bruces con el asno, que estaba durmiendo en el corral.

—¡Hiii-Hooo! —rebuznó el asno, y le propinó una fuerte coz con sus patas traseras.

—¡Socorro! ¡Socorro! ¡Que me matan! —gritó el ladrón.

Al oír los gritos, el gallo se despertó, bajó volando del tejado y le picoteó en la cabeza.

—¡Nunca volveremos a este horrible lugar! —exclamaron los ladrones mientras se alejaban corriendo.

Al día siguiente, los cuatro animales encontraron instrumentos musicales en la casa, y dieron un pequeño concierto.

—Ahora tenemos comida y dinero de sobra. Vivamos aquí todos juntos.

Y así, se quedaron a vivir en el bosque y lo alegraron con su música.

Los músicos de Bremen

LOS MÚSICOS DE BREMEN está sacado de los *Cuentos infantiles y del hogar,* de los hermanos Grimm. Jacob y Wilhelm Grimm colaboraron en la recopilación de cuentos populares y tradicionales, y gracias a ellos han llegado a nuestros días.

Heidi

Heidi

Johanna Spyri

Era una mañana de sol en los bellos Alpes Suizos. Una joven y una niña subían por un sendero.

Detie, la mujer, tenía prisa por llegar a la casa de un anciano que vivía solo en lo alto de la montaña.

—Estoy cansada, tía —dijo la niña.

—Pronto llegaremos. No te pares —dijo tía Detie, agarrando a la niña de la mano.

—¿Qué quieres? —preguntó el abuelo bruscamente cuando abrió la puerta.

—He cuidado de esta niña durante cuatro años, pero mañana me marcho a Frankfurt a trabajar. Ahora te toca a ti cuidar de Heidi —dijo Detie nerviosa.

Heidi no oyó todo esto, porque estaba jugando fuera con las cabritas y con Pedro, el cabrero. Era ya casi de noche cuando volvió.

—Heidi, debes de tener hambre. Entra y come algo —dijo su abuelo, mientras le daba un poco de queso y leche de la cabra. Heidi bebió sedienta.

—¡Es la mejor leche que he bebido nunca! —exclamó.

La alegre voz de Heidi suavizó el mal humor del anciano. Luego hizo una cama de heno para la niña, que disfrutaba con todos los detalles de su nueva vida en la montaña.

Heidi se echó a dormir mirando a las brillantes estrellas a través de un agujero que había en la pared del pajar.

Cuando amaneció, corrió fuera y jugó con Pedro y con sus cabras por toda la montaña. Al acabar el día, vio una hermosa puesta de sol.

—¿Por qué está rojo el cielo, Pedro? —preguntó.

—El cielo está diciendo que hoy ha sido un buen día —respondió Pedro—. Ahora, Heidi, es hora de volver a casa.

Pedro y Heidi se hicieron muy buenos amigos.

Pedro tenía una abuela ciega y enferma. Un día, Heidi fue a verla y le cantó con su bonita voz. Esto agradó tanto a la anciana que pidió a Heidi que volviera más veces. A partir de entonces, Heidi visitaba todos los días a la abuelita.

Un día, cuando Heidi volvía a casa, oyó a su abuelo hablando a gritos:

—¡No puede llevarla a la escuela! ¡De ningún modo! Éste es el mejor sitio para ella.

Un sacerdote había ido a hablar con el abuelo para aconsejarle que mandase a su nieta al colegio, pero todo fue en vano.

La siguiente visita inesperada fue Tía Detie. Llegó para llevarse a Heidi a Frankfurt, donde una familia rica buscaba a una compañera de juegos para su hija inválida.

Heidi se negó a ir, pero Detie la obligó, diciendo:

—Lo pasarás muy bien en Frankfurt, y podrás traer pan blanco para la abuelita.

—¿De verdad? —preguntó Heidi encantada. Esto la convenció.

El abuelo las vio marchar sin decir una palabra.

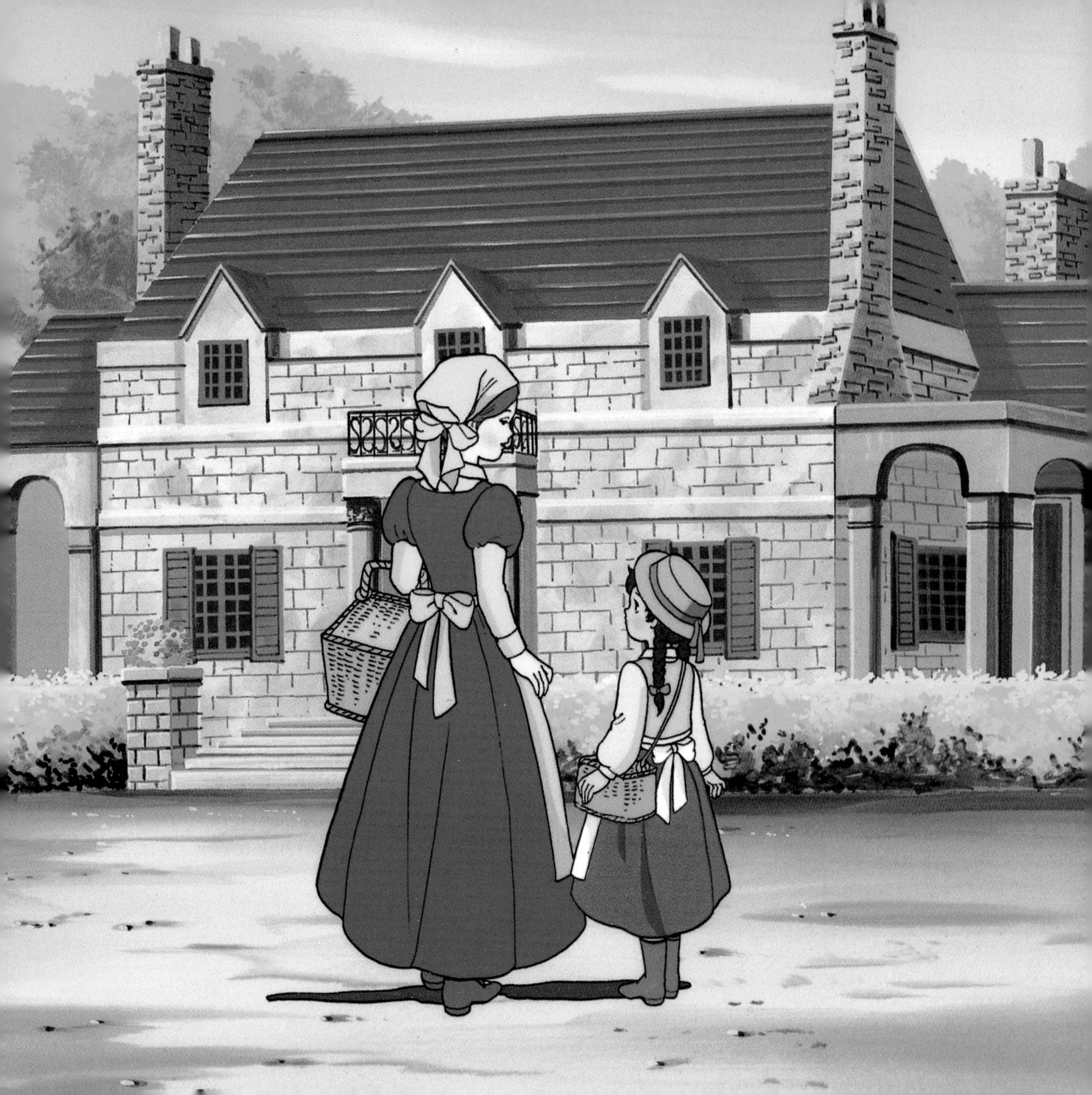

En Frankfurt, Clara, la niña inválida, esperaba con impaciencia la llegada de su compañera de juegos. Su madre había muerto hacía tiempo, y su padre, el señor Sesemann, viajaba con frecuencia por cuestiones de negocios. El ama de llaves, la señorita Rottenmeier, estaba a cargo de todos los asuntos de la casa.

Al ver a Heidi, le preguntó:

—¿Qué has aprendido en el colegio?

—Nunca he ido al colegio —contestó Heidi.

Esta respuesta escandalizó a la señorita Rottenmeier, y tía Detie se marchó apresuradamente de la casa.

Las dos niñas pronto se hicieron buenas amigas. A la hora de cenar, Heidi reservó su trozo de pan blanco para la abuelita y lo guardó en el bolsillo de su delantal.

Al día siguiente comenzó una época muy difícil para Heidi. A la señorita Rottenmeier no le gustaban ninguno de los modales de Heidi, y no paraba de decir:

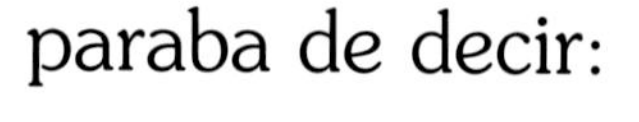

—¡No, Heidi! ¡No!

Heidi lloraba por las noches en su almohada, recordando los felices días que había pasado en los Alpes.

Un día, mientras la señorita Rottenmeier comprobaba si todas las puertas estaban bien cerradas, oyó un extraño sonido procedente de la puerta principal. Llamó al mayordomo, Sebastián. Fueron juntos a donde se había oído el ruido.

Al llegar, vieron que la puerta estaba abierta.

Rottenmeier dio un fuerte grito al ver una extraña figura blanca que pronto desapareció.

Todos en la casa estaban aterrorizados a causa del fantasma. Cuando otro día apareció de nuevo, la señorita Rottenmeier escribió al señor Sesemann para pedirle que regresara a casa.

Dos días después, el señor Sesemann volvió de París. Llamó a un amigo suyo, que era médico, quien accedió a quedarse con él para vigilar durante la noche.

Esperaron en la oscuridad. Cuando el reloj dio las doce, vieron una figura blanca. Entonces se dieron cuenta de que se trataba de Heidi, que caminaba en camisón.

El doctor habló con Heidi, y comprendió que la niña echaba tanto de menos los Alpes que había estado caminando sonámbula.

El señor Sesemann decidió enviarla de regreso a las montañas. Clara preparó algo de pan blanco para la abuelita, y muchos otros regalos.

Al día siguiente, el tren llevó a Heidi a los Alpes.

—¡Ya estoy en casa, abuelo! —gritó.

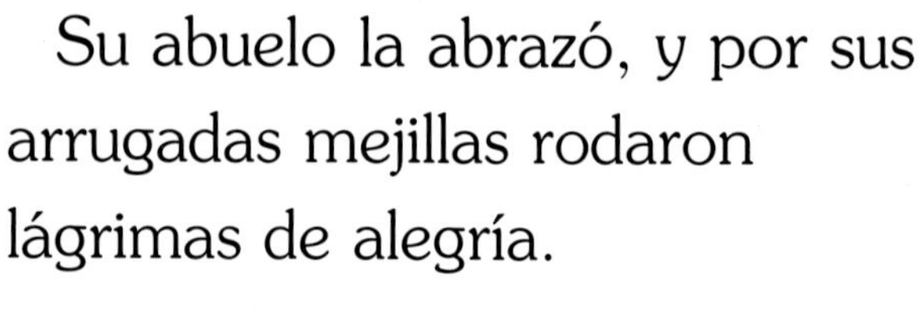

Su abuelo la abrazó, y por sus arrugadas mejillas rodaron lágrimas de alegría.

La vida de Heidi en los Alpes comenzó de nuevo. Fue a ver a la abuelita con el pan blanco.

—¡Dios mío! ¿De verdad eres tú? —dijo la abuelita mientras caían lágrimas de sus ojos ciegos.

Después de un tiempo, llegó una carta de Clara diciendo que iría a visitar a Heidi a los Alpes.

En primavera, llegó Clara y las dos niñas lo pasaban muy bien juntas. Pedro se puso celoso de Clara. Un día, empujó su silla de ruedas por una pendiente.

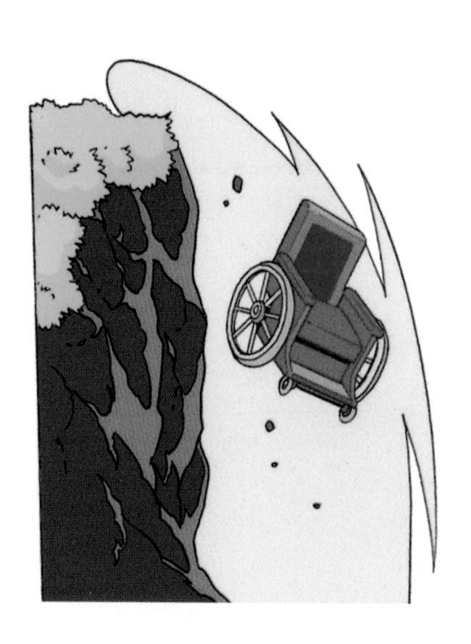

Pero resultó que esto hizo un bien a Clara, pues la niña trató de caminar con la ayuda de sus amigos.

Pasaron los meses. Un día de verano, Pedro y Heidi estaban fuera ayudando a Clara a caminar, cuando de pronto, dejaron de notar su peso.

—¡Estoy andando! Gracias, Heidi. Gracias, Pedro —dijo Clara encantada.

El señor Sesemann, que había venido a verla, se quedó maravillado al ver que su hija inválida estaba andando sola. Comenzó a llorar de alegría, y dio las gracias al abuelo y a Heidi de todo corazón.

Heidi

Johanna Spyri, la autora, nació en las montañas suizas, y fue criada por sus estrictos pero afectuosos padres. Escribió HEIDI para los niños, reflejando en esta historia su carácter amable y bondadoso.

El traje nuevo del emperador

El traje nuevo del emperador

Hans Christian Andersen

Hace mucho tiempo, vivía un emperador que deseaba vestir con gran elegancia. Sus sastres le confeccionaban ropa nueva todos los días.

Llegó un momento en que a los sastres ya no se les ocurría ningún nuevo diseño. El emperador gritó enfadado:

—¡Esta capa ya la he llevado antes! ¡No deseo ponerme dos veces el mismo traje!

Los cortesanos colocaron un anuncio en la calle que decía: «Aquel que haga un traje nuevo para el emperador será recompensado».

Todos los sastres del reino trataron de confeccionar un traje para el emperador lo mejor que pudieron, pero a éste no le gustaba ninguno. El emperador era demasiado vanidoso para reconocer que estaba gordo.

Un día, llegaron al castillo dos estafadores.

—Hemos venido desde la lejana Persia para complaceros, Majestad —dijeron—. Somos tejedores y hacemos una tela muy especial. Nuestra tela es tan especial que no puede verla nadie que sea estúpido.

—Mmm. Parece interesante. Así podré saber cuáles de mis hombres son listos y cuáles estúpidos. De acuerdo. Comenzad a tejer de inmediato —dijo el emperador, y les dio un saco lleno de monedas.

Los tejedores se guardaron el dinero y fingieron tejer una tela especial. El sonido del telar se oyó hasta bien entrada la noche: clic, clac, clic, clac.

El emperador quiso saber qué tal iba su encargo.

«Enviaré a mi ministro más honesto», pensó.

El ministro fue a ver a los tejedores y se quedó muy sorprendido cuando vio el telar vacío. Hizo todo lo posible por ver algo, pero fue en vano.

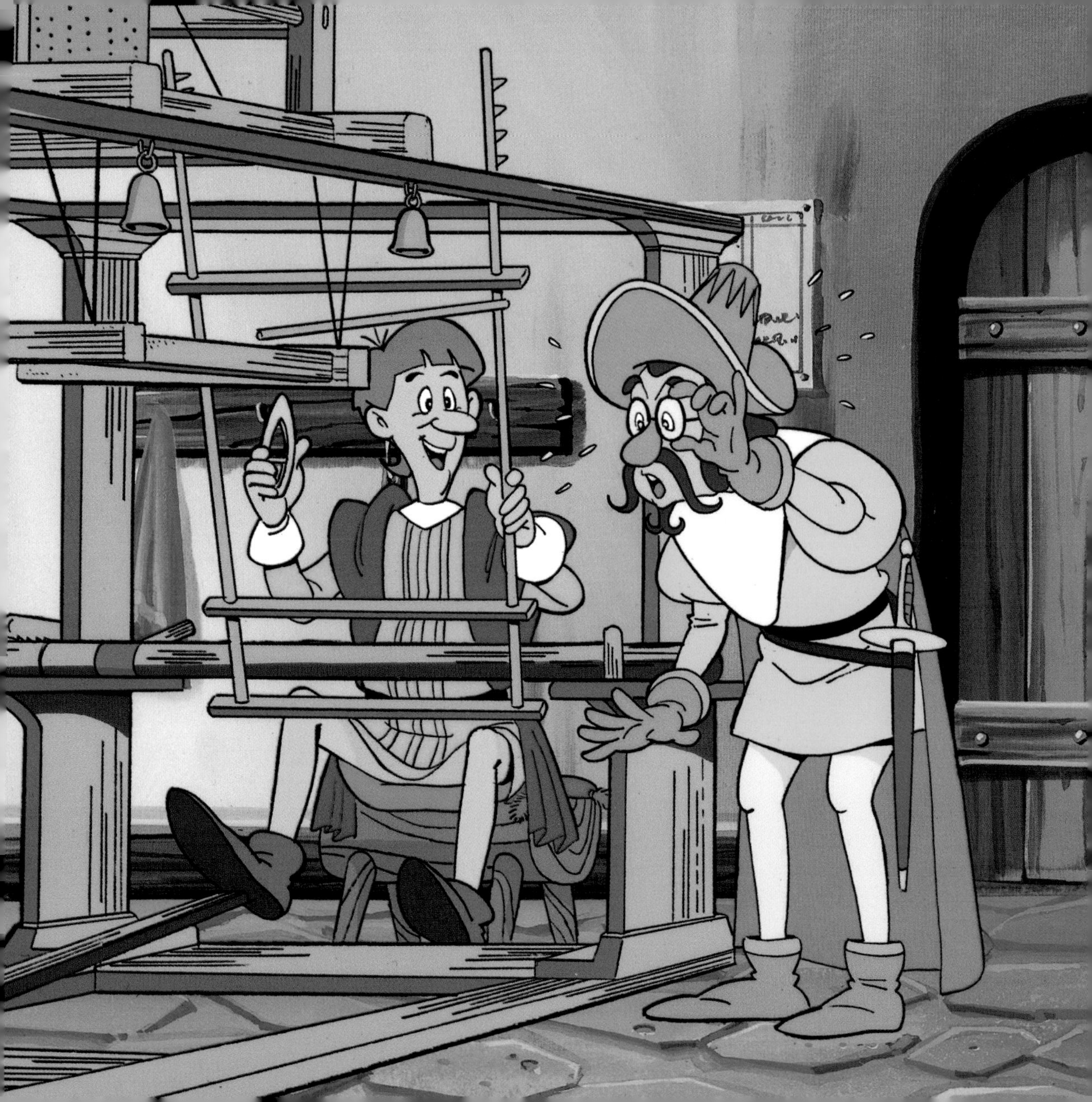

El pobre ministro pensó: «¡Qué desastre! Si digo la verdad, el emperador pensará que soy estúpido y que no soy digno de mi cargo.»

Por ese motivo, dijo al emperador:

—Nunca he visto una tela tan hermosa. Estoy seguro de que os gustará, Majestad.

El emperador se quedó muy satisfecho con la noticia y pagó más dinero a los malvados tejedores.

Unos cuantos días después, el emperador quiso ver la tela. Entonces pensó: «Me sentiré muy avergonzado si no puedo verla.»

Esta vez envió al capitán de la guardia. El emperador pensaba que éste era el más inteligente de todos sus hombres. Pero tampoco él pudo ver la tela. Como tenía miedo de que le expulsaran de su cargo, dijo al emperador:

—Es una tela maravillosa, Majestad.

El emperador estaba muy contento.

«Ya no siento ningún miedo... Tengo que ser capaz de ver lo que han visto ellos», pensó.

Estaba seguro de que sus hombres no eran tan inteligentes como él. El emperador salió del castillo

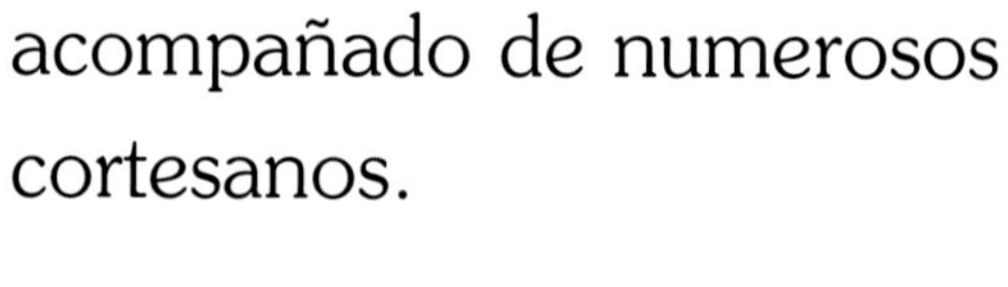
acompañado de numerosos cortesanos.

—Esperamos que os guste la maravillosa tela, Majestad —dijeron los dos cortesanos.

El emperador entró en la habitación donde estaban trabajando los tejedores, pero no vio nada en el telar.

«¿Qué es esto?», pensó, «¿por qué no puedo ver la tela? ¿Acaso soy estúpido? ¡No, no! ¡No debo decir que no puedo verla!»

De modo que comunicó a los tejedores que le gustaba mucho la tela.

Todos los cortesanos pensaban para sí: «¡Es terrible que yo no pueda verla!»

El emperador entregó otro saco de oro a los tejedores. Los malvados estafadores siguieron trabajando, clic, clac, clic, clac, y pronto dijeron que la tela estaba acabada. Fingieron cortar y coserla hasta hacer un traje nuevo.

Se lo mostraron al emperador diciendo:

—Por favor, Majestad, mirad este traje con cuidado. Sin duda vuestro pueblo os admirará cuando os presentéis vestidos con él.

Los tejedores ayudaron al emperador a desvestirse. Luego él fingió ponerse el traje.

—¡Oh, es fantástico! Es ligero como una pluma, y muy cómodo.

Entonces llamó a sus cortesanos y les preguntó:

—¿Qué os parece mi nuevo traje?

—¡Qué precioso traje y qué bien os sienta, Majestad! —respondieron.

Durante aquellos días, todos los habitantes del reino hablaban del traje nuevo del emperador.

Llegó el día en el que se iba a celebrar un desfile.

—Sólo las personas inteligentes pueden ver mi nuevo traje —decía el emperador, según iba desfilando.

La gente exclamaba con entusiasmo: «¡En verdad es maravilloso el nuevo traje del emperador! ¡Qué bien le sienta! ¡Sí! ¡Sí!»

El emperador se sentía muy contento al ver cómo su pueblo lo aclamaba.

Entonces, de pronto, se oyó la voz de un niño que decía:

—¡Mirad! ¡No lleva nada de ropa! ¡Majestad, cogeréis un resfriado por ir desnudo!

Al oír estas palabras, las personas que presenciaban el desfile se echaron a reír.

«¡Estoy desnudo! ¡Me han engañado! ¡Qué vergüenza!», pensó el emperador, y se llevó al niño a su palacio.

Los súbditos del rey temieron que éste hiciese matar al pobre chiquillo. Pero poco después, el emperador invitó a los padres del niño a su palacio y les dijo:

—Tenéis un hijo bueno y honesto. Él fue el único lo bastante honrado como para decirme la verdad.

Entonces les dio mucho regalos. A partir de aquel día, el emperador se preocupó por gobernar su reino y no por llevar ropas elegantes.

El traje nuevo del emperador

EL TRAJE NUEVO DEL EMPERADOR es uno de los cuentos satíricos de Hans Christian Andersen. La estupidez de los mayores queda de manifiesto gracias a la honestidad de un niño.

La vendedora de fósforos

La vendedora de fósforos

Hans Christian Andersen

Era la noche de fin de año. Hacía frío y nevaba. Una niña se había pasado la tarde tratando de vender cerillas a las personas que caminaban por la calle.

—¡Cerillas! ¡Vendo cerillas! —decía con voz fuerte, pero nadie había comprado ninguna.

—Señora, ¿no quiere comprarme unas cerillas? —preguntó a una que pasaba.

—Tenemos muchas en casa —contestó la mujer.

La niña temblaba de frío, pero sabía que no podía volver a casa sin vender nada, porque su padre, que se emborrachaba, la pegaría. Mientras caminaba notó un delicioso olor a comida.

«¡Ese olor me está abriendo el apetito », pensó.

Al cruzar la calle, un carruaje que pasaba muy deprisa estuvo a punto de atropellarla. Tuvo que arrojarse al suelo para evitar que la golpeara, y perdió uno de los zapatos que le había comprado su madre.

—He perdido un recuerdo muy querido de mi madre. ¿Qué voy a hacer? —dijo llorando.

Caminó descalza sobre el suelo helado. No dejaba de nevar, y la nieve se amontonaba por todas partes, incluso en su pelo. Ya no había nadie por la calle. Estaba sola.

Veía luces en todas las ventanas, y oía las risas de los niños mientras cenaban con su familia.

«Yo también cenaba así cuando vivía mi madre», pensó.

Sus desnudos pies se pusieron de color azul a causa del frío. Pero no se atrevía a volver a casa porque no había vendido ni siquiera una cerilla.

—No puedo caminar más —dijo llorando.

Se acurrucó contra una pared. Sopló sus manos y escondió los pies bajo su falda, pero ni aún así logró entrar en calor.

Entonces pensó: «¿Qué mal hay en encender sólo una cerilla para calentarme?»

Encendió una de sus cerillas. Con la pálida luz de la llama, vio una estufa que daba un agradable calor. Intentó tocarla para calentarse pero, de pronto, desapareció ante sus ojos.

La cerillera encendió otra cerilla. Con su luz vio que, delante de ella, flotaban en el aire apetitosos dulces y un pato asado que tenía clavados un cuchillo y un tenedor. En cuanto intentó cogerlos, la cerilla se apagó y sólo quedaron el frío y la oscuridad.

Encendió una tercera cerilla. Entonces vio un árbol de navidad decorado con velas encendidas. La pequeña pensó: «Es más bonito que todos los demás árboles de navidad que he visto jamás.» Cuando alargó la mano para tocar el árbol, la cerilla se apagó. Esta vez, las velas siguieron viéndose, y formaron una fila en el oscuro cielo. Subían al cielo

hasta confundirse con las estrellas, brillando en lo alto.

La niña pensó: «Me gustaría ver a mi abuela». Y encendió otra cerilla rascándola contra la pared. La cerilla llameó e iluminó todo alrededor. Delante de ella estaba su abuela.

—¡Oh! ¡Querida abuela! —gritó la pequeña cerillera, echándose a sus brazos.

Su abuela la abrazó dulcemente. Cuando la luz de la cerilla comenzó a palidecer, la figura de su abuela se desvaneció.

La vendedora de fósforos, desesperada, rascó un montón de cerilla juntas sobre la pared.

¡Puff! Todas se encendieron a un tiempo. Ahora podía ver claramente a su abuela.

—¡Abuela! No quiero estar sola nunca más —suplicó.

La abuela le sonrió.

Su abuela la abrazó con fuerza.

De pronto, vio un haz de luz en el negro cielo. Era un camino para que ella lo siguiera. La cerillera se elevó por los aires abrazada a su abuela.

Su abuela le dijo:

—Vamos al cielo, donde no hace frío y crecen flores por todas partes. Hay comida deliciosa en abundancia, y allí podremos vivir felices con tu madre.

La cerillera se sintió feliz. Cerró los ojos y siguió subiendo cada vez más alto.

Con las primeras luces del amanecer, unas personas que pasaron encontraron a la pequeña niña muerta, sonriendo y acurrucada cerca de la pared. A su alrededor había diseminadas varias cerillas quemadas, y en la mano aún tenía agarrado un puñado de cerillas gastadas.

—Ha tratado de calentarse —dijo alguien.

Todo el mundo lloró al verla.

Una mujer salió entre la multitud y, llorando, abrazó su pequeño cuerpo helado. Era la mujer que el día anterior había dicho que no necesitaba cerillas.

—Lo siento. Si hubiese comprado tus cerillas, no habría sucedido esto —dijo.

Todos sintieron lástima de la pequeña porque no podían conocer las maravillosas visiones que había tenido a la luz de las cerillas.

La vendedora de fósforos

Hans Christian Andersen, que pasó su infancia en la pobreza, escribió LA VENDEDORA DE FÓSFOROS para que las personas pensáramos más en los pobres. Este cuento ha conmovido a muchos lectores desde entonces.

El soldadito de plomo

El soldadito de plomo

Hans Christian Andersen

Un hombre entró en su casa con un paquete en la mano.

—Ya estoy en casa —dijo.

Jim, su hijo, se puso muy contento y abrió el paquete rápidamente. Era el día de su cumpleaños.

La caja contenía veinticinco soldaditos de plomo,

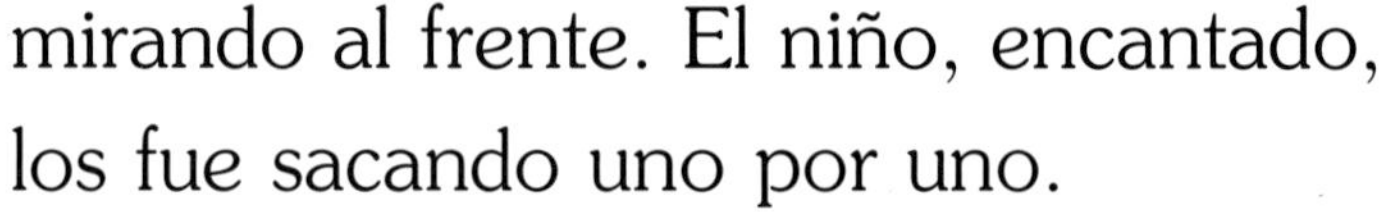

mirando al frente. El niño, encantado, los fue sacando uno por uno.

Enseguida se dio cuenta de que había un soldado que tenía una sola pierna. Parecía como si lo hubieran hecho el último, y no hubiesen tenido suficiente plomo para terminarlo.

A Jim le gustaba ese soldadito que mantenía tan bien el equilibrio con su única pierna como los otros con las dos. Lo colocó delante del castillo de juguete de su hermana. Allí había una muñeca de papel vestida de bailarina.

—¡Vaya, tu muñeca también tiene sólo una pierna! —dijo Jim.

—No, es que está bailando con una pierna levantada —le explicó su hermana. Jim y su hermana empezaron a jugar juntos.

Al poco rato oyeron a su madre decir:

—Vamos niños, es hora de irse a la cama.

—Está bien, madre —dijeron los niños. Dieron un beso a su madre y se fueron a dormir.

«Bong, bong, bong...»

Cuando el reloj dio las doce, todos los juguetes saltaron y comenzaron a jugar armando un gran revuelo. Se saludaban unos a otros y bailaban alegremente. Los únicos que no se movieron de su sitio fueron el soldadito de plomo y la pequeña bailarina. El soldadito se quedó firme sobre su pierna mirando fijamente a la bonita bailarina.

«¡Qué hermosa señorita!», pensó el soldadito de plomo. «Y se sostiene sobre una pierna, lo mismo que yo.»

La pequeña bailarina le sonrió diciendo:

—¿Tú también te apoyas en una sola pierna?

—Sí, igual que tú —respondió el soldadito, notando cómo las mejillas se le ponían coloradas.

—Cuando bailo, siempre levanto mucho la pierna.

—Debes de ser una buena bailarina. ¿Podrías enseñarme a bailar? —le preguntó el soldadito.

—Sí, lo haré encantada —respondió la pequeña bailarina.

Se agarraron de la mano. De pronto, se oyó un fuerte golpe: «¡Pop!». La tapa de la caja de sorpresas se abrió y, de un salto, salió un juguete de ella: un horrible duende.

—¡Soldado de plomo! —gritó el duende—. La bailarina es mi novia. ¡Aléjate de ella!

Todos se quedaron callados.

—¡Está mintiendo! ¡No quiero nada con él! —dijo llorando la bailarina.

Pero el duende trató de agarrarla de la mano. Esto enfureció al soldadito, quien comenzó a luchar contra el duende.

—¡Pequeñajo! ¡Te voy a enseñar quién manda aquí! —dijo el duende, tratando de atravesar al soldadito con una lanza.

Éste logró esquivar la lanza muchas veces, pero con su única pierna, no pudo derrotar al duende. El malvado muñeco se fue acercando cada vez más al soldadito, forzándolo a acercarse a la ventana.

Entonces, cuando el soldadito esquivó el siguiente golpe, la ventana se abrió y cayó a la calle.

Al día siguiente, dos niños que pasaban por allí encontraron al soldadito. Uno de ellos lo cogió.

—¡Mira! ¡Le falta una pierna! Por eso lo han tirado —dijo desilusionado.

—¡Espera! Tengo una idea —exclamó el otro niño—. ¡Vamos a montarlo en un barco!

Así, los niños hicieron un barco con papel de periódico, colocaron al soldadito dentro, y lo echaron al canal.

—¡Mira qué rápido va! —dijeron los niños aplaudiendo y corriendo junto al barco.

Der zeitliche Verlauf der Aus
lings darauf hin, daß die gute Welle solch
Verluste bereits
findliche Arten
hohe Verluste
University of
Bericht verwe
raten deutet
ist. Denn viele
bereits ver-
wie die In-
ßwasser
sprünglichen Gr
nur eine Handvo
lerdings
schrumpft sind. Dabei sei
en ausgerottet worden. Al-
ere Spezies auf kleine Pop
und daher langfristig in
Landwirtsch
Artenvielf

Como el día anterior había llovido mucho, el barquito de papel se precipitó aguas abajo, balanceándose sin parar. El pobre soldadito de plomo apenas podía mantenerse en pie.

Al poco tiempo, el barco llegó a un tubo de desagüe, y en un segundo desapareció por él. En medio de la oscuridad, el soldadito oyó resonar una voz que le decía rugiendo:

—¡Cómo te atreves a invadir mi territorio!

Era una enorme rata de agua que vivía allí. El soldadito no dijo nada. La rata se abalanzó sobre él con la boca abierta.

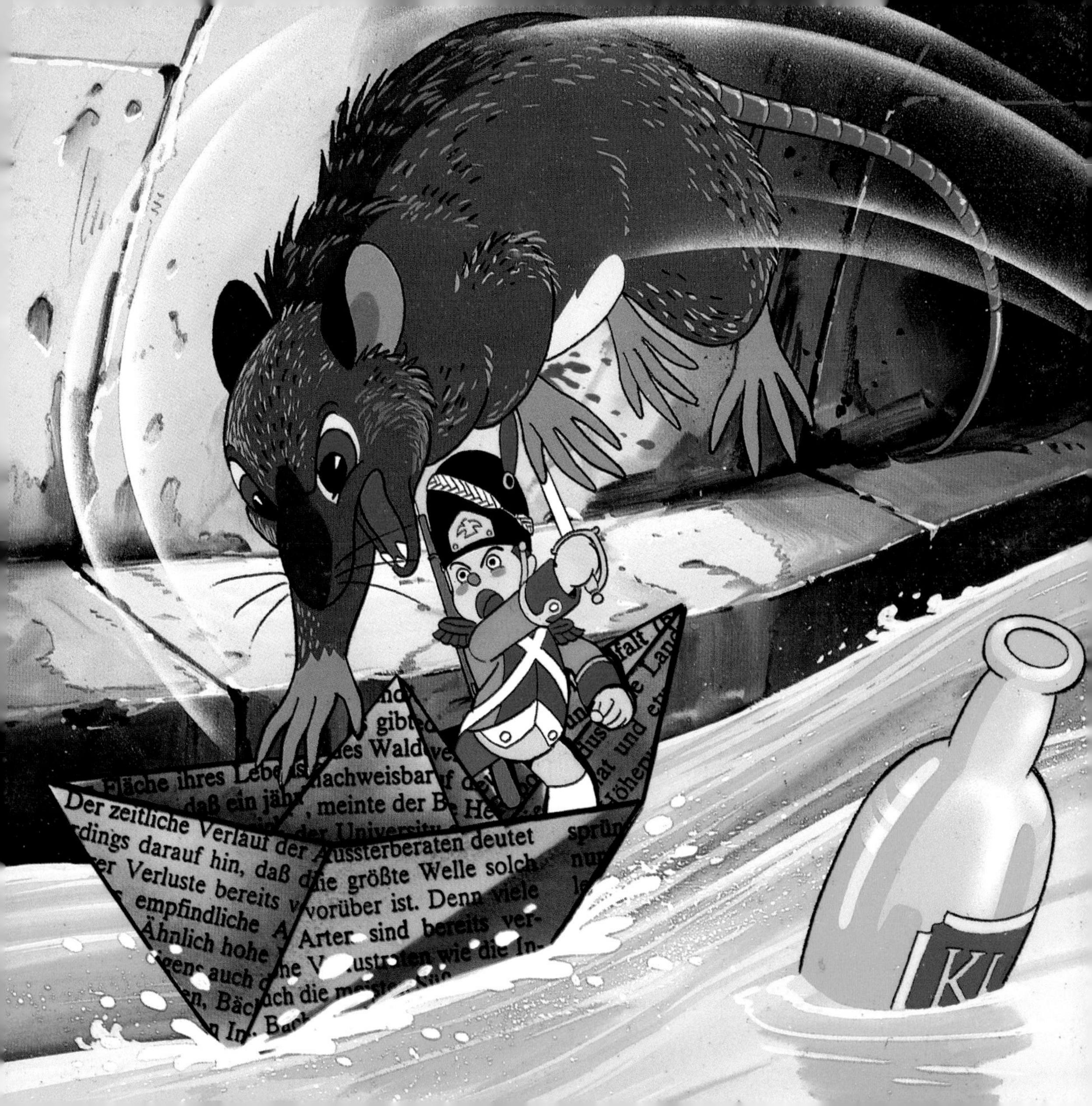
Der zeitliche Verlauf der Aussterberaten deutet
dings darauf hin, daß die größte Welle solch
er Verluste bereits vorüber ist. Denn viele
empfindliche Arten sind bereits ver-
, meinte der B

El soldadito trató de defenderse de la horrible rata con su espada.

—¡Uf! —exclamó la rata, y huyó a toda prisa.

El soldadito se sintió aliviado, pero sólo durante un momento, pues enseguida se dio cuenta de que el barco de papel estaba empapado.

—¡Oh, ahí está la salida! —se dijo cuando vio una luz frente a él.

Por desgracia, fuera había una cascada.

—¡Ahhh!

El barco de papel cayó en picado por la cascada, y fue a parar a un arroyo.

—¿Me estoy muriendo? —pensó el soldadito, acordándose de la bailarina mientras giraba y giraba entre las burbujas del agua.

Lentamente, el soldadito se hundió en las negras aguas.

—Adiós mi querida bailarina —murmuró, y luego perdió el conocimiento.

En aquel momento, un gran pez pasó nadando por allí y se lo tragó de un bocado.

Al día siguiente, mientras se encontraba en el estómago del pez, vio un haz de luz en la oscuridad.

—¡Padre! ¡He cogido uno! ¡Es enorme! —gritó un niño, cuya voz le resultó familiar.

—¡Madre, he pescado un pez enorme! —dijo alegremente el niño al llegar a casa acompañado de su padre.

—¡Es grandísimo, Jim! —exclamó su madre, y se llevó el pez a la cocina. Cuando lo abrió con un cuchillo, dio un grito de asombro—: ¡Pero... si es el soldado que sólo tiene una pierna!

Lo lavó bien y lo llevó al salón. Lo colocó sobre la mesa donde había estado antes. Allí, el soldadito vio a la bonita bailarina.

—¡Has vuelto, soldado!

—Sí. Pensé que no volvería a verte.

Desde la caja de sorpresas, el duende les estaba espiando. Se puso tan celoso que pronunció un encantamiento para hechizar a Jim, que se encontraba en la habitación de al lado. El niño, de pronto, se levantó, entró en el salón y cogió al soldadito y a la bailarina. Luego oyó al duende ordenarle que arrojara a ambos al fuego.

Jim, sin saber lo que estaba haciendo, se acercó a la chimenea y arrojó a los dos muñecos al fuego.

El soldadito se quedó quieto notando un terrible calor. No sabía si procedía de las llamas o del amor que sentía por su bailarina.

—¡Ja, ja, ja! —dijo el duende riéndose—. ¡Arded hasta convertiros en cenizas!

Aquella noche, cuando el fuego se extinguió, algo brillaba entre las ascuas. Era un pequeño corazón de plomo y, si se miraba de cerca, se podía ver algo grabado en relieve. Allí, en el corazón brillante, estaba la imagen del soldadito de plomo y la bailarina sonriendo uno al lado del otro.

El soldadito de plomo

Hans Christian Andersen, algunas veces llamado «el padre de los cuentos», ejerció una gran influencia en el desarrollo de la literatura infantil. EL SOLDADITO DE PLOMO es una de sus obras maestras, y desde su publicación se ha convertido en un clásico para todos los niños.

El flautista de Hamelin

El flautista de Hamelin

Hermanos Grimm

Hace mucho tiempo, en Alemania, había una bonita y pequeña ciudad llamada Hamelin. Sin embargo, este tranquilo lugar tenía un problema: estaba plagado de ratas.

—¡Ah! ¡Una rata! —se oía repetir en las cocinas.

Las ratas se colaban por debajo de las puertas y lo roían todo hasta hacer desaparecer la comida. Incluso hacían sus nidos en los rincones de las casas.

Las ratas mordisqueaban los pies de las personas y se les subían encima. Atacaban las tiendas de comestibles y las carnicerías, estropeando todo lo que había en los almacenes. Sus propietarios trataban de alejarlas, pero éstas simplemente fingían escapar y se reían de las personas.

La gente del lugar reunió todos los gatos de los pueblos vecinos para que cazasen a las ratas. Pero estas criaturas se habían hecho tan fieras que eran ellas quienes atacaban a los gatos, y no al revés.

Al final, no quedó ni un solo gato en la ciudad.

Un día, los ciudadanos se reunieron en el mercado.

—¡No hemos comido durante tres días!

—¡Moriremos todos de hambre!

—¡No puedo oír lo que dices, con los chillidos de las ratas!

Hablaron de lo que podía hacerse con aquella plaga. Finalmente, se dirigieron al ayuntamiento y pidieron al alcalde que les librara de las ratas.

El alcalde, un hombre regordete y alegre, estaba muy orgulloso de su cargo. Sin embargo, no se le ocurría ninguna solución.

—¡Es responsabilidad del alcalde! —gritaba la gente enfadada.

Justo entonces, se oyó una bonita melodía interpretada por una flauta.

«Tra, la, la, tra, la, la...»

—¿Quién es ése? ¡No es momento de tocar la flauta! —vociferó el alcalde, muy irritado.

—Soy un flautista —dijo un guapo joven vestido de forma estrafalaria—. Parece que tenéis problemas. Yo puedo libraros de las ratas con esta flauta, señor.

—¿Con esa flauta? ¡Tonterías!

—Encantaré a las ratas y las sacaré de la cuidad —replicó el joven, sonriendo misteriosamente.

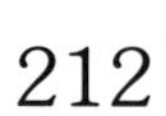

El flautista parecía tan seguro de sí mismo que la desesperada gente de la ciudad se alegró mucho al oír sus palabras.

—De acuerdo, puedes intentarlo —dijo el alcalde.

—Si me prometéis darme mil florines —añadió el flautista.

—Eso es ridículo. ¡De ninguna manera!

—Está bien. En tal caso, debo deciros adiós —dijo el joven, dándose la vuelta. Cuando había caminado varios pasos, alguien gritó:

—¡Dejémosle intentarlo!

Entonces toda la multitud vociferó:

—¡Sí, que lo intente!

De modo que el alcalde, de mala gana, pidió al desconocido que salvase la ciudad.

—No olvidéis lo prometido, señor —dijo el flautista mientras se alejaba del alcalde y de la multitud.

Una vez en la calle, comenzó a tocar la flauta y, al momento, se oyó un gran crujido procedente de debajo del suelo. El ruido se fue haciendo cada vez más fuerte, y miles de ratas salieron a la calle y empezaron a danzar al compás de la música. Siguieron al flautista a través de la ciudad de Hamelin hasta que llegaron al río.

El flautista se metió en el agua sin dejar de tocar su melodía mágica. Las enloquecidas ratas se zambulleron en el río y se ahogaron cuando el flautista llegó al centro del cauce; todas menos una. Esta rata nadó hasta la orilla opuesta y avisó a todas las demás ratas para que nunca volvieran a poner un pie en Hamelin.

Cuando el flautista volvió a la ciudad, los habitantes se pusieron muy contentos. Tocaron las campanas de la iglesia una y otra vez y bailaron por las calles. La ciudad de Hamelin se había salvado.

El flautista dijo al alcalde:

—Ahora que ya no hay ratas, pagadme mil florines.

El alcalde fingió no haberle oído y puso un florín en su mano.

—¡Señor! ¡Esto no es lo que me prometisteis! ¡Tenéis que darme mil florines! —insistió el flautista.

—La promesa exigía que mataras a las ratas tú mismo. Pero las ratas saltaron al agua y se ahogaron. ¿Quieres mil florines por eso? ¡Tonterías! —respondió el alcalde.

La cara del flautista enrojeció de ira.

—¡Me habéis engañado! —dijo, y luego añadió dirigiéndose a la gente—: Todos vosotros oísteis la promesa que me hizo, ¿no es así?

La gente respondió:

—¡Tranquilízate, muchacho avaro! Tenemos que comprar comida. No podemos desperdiciar ni un solo florín contigo.

—Las ratas se han ido. ¡Ahora te toca a ti marcharte de nuestra ciudad!

El flautista se quedó mirando a aquella gente tan desagradecida.

—¡Os arrepentiréis de vuestras mentiras! —dijo, mientras abandonaba la ciudad.

Pasó el tiempo, y la gente de Hamelin ya casi se había olvidado de las ratas y del flautista. Estaban muy ocupados preparándose para la festividad de San Juan, cuando sucedió algo muy peculiar.

El flautista llegó al borde de la ciudad y comenzó a tocar su flauta. La melodía sonaba rara al principio, pero luego se hizo muy alegre y vigorosa. De pronto, hubo un gran bullicio en Hamelin. Montones de niños y niñas salieron de sus casas y siguieron corriendo el sonido de aquella encantadora melodía.

El flautista continuó tocando su música mágica hasta que decenas y decenas de niños se reunieron a su alrededor. Condujo a todos los niños bailando alrededor de la ciudad de Hamelin, y luego se dirigió al río del mismo modo que había hecho con las ratas.

Al llegar al río, giró y caminó a lo largo de la orilla. Cuando llegaron a la ladera de una gran colina llamada Koppenberg, se encontraron con que una gran roca les bloqueaba el paso. El flautista sopló su flauta y, de inmediato, la roca se apartó a un lado y apareció una profunda gruta.

El flautista, sin dejar de tocar la flauta, entró en la gruta con todos los niños detrás.

Justo cuando el último niño se disponía a entrar en la gruta, la roca se cerró delante de él. Era el más pequeño de todos. Lloró mucho rato, pero al final regresó a la ciudad y contó a sus padres lo que había sucedido.

Todos los padres de Hamelin, hasta el alcalde en persona, fueron corriendo a la ladera de la colina. Intentaron por todos los medios apartar la roca, pero ésta no se movió ni un ápice. Lo único que pudieron hacer fue llorar por sus niños. Todos los ciudadanos se arrepintieron de lo que le habían hecho al flautista, incluido el alcalde, quien había perdido a su única hija.

El alcalde envió mensajeros al norte y al sur, al este y al oeste, con una carta en la que ofrecía al flautista todo el dinero que quisiera a cambio de los niños. Pero los mensajeros volvieron sin noticias de los niños ni del flautista. Los pequeños habían desaparecido para siempre.

Entonces, una noche de luna llena, la gente de Hamelin oyó una música a lo lejos. La melodía parecía decir: «Los niños están en la tierra de los milagros, donde nadie dice mentiras y todos viven felices por siempre».

La extraña melodía resonó por toda la ciudad de Hamelin.

El flautista de Hamelin

Esta historia está basada en una leyenda alemana que recogieron los hermanos Grimm.
Se dice que en el siglo XIII, más de cien niños desaparecieron de la pequeña ciudad de Hamelin para no regresar jamás.

Índice